After one year in the Netherlands you are well known to our language. So you will know that the question „What is the Wad?" is translated by „Wat is de Wad?". Nevertheless – also after reading this book – you may notice that a satisfying answer on that question is very difficult, or i[illegible] [illegible]ple „The Wad is a wad". That is what I did [illegible] [illegible]ce then we have done a lot of talking (for inst[illegible] [illegible] on the bicycle) and we learned a lot about our families, our countries, our languages, our countries, our work, ourselves and the other one. I can tell you Jeannette, the children and I really enjoyed your stay here and we are sorry the year is over that soon. We wish you all the luck with whatever will come. Also in studying the Wad or whatever „nu en later"

Roel augustus '84

Wad nu...

Wad nu...Wat later?

Wad nu...Wat later?

het heeft onze voortdurende aandacht

TWEEDE DRUK

tekst Alexander Pola
foto's Rob de Wind

ZUIDBOEK

ZUIDGROEP BV UITGEVERS DEN HAAG

Over de Wadden is al veel geschreven.
En nog veel meer gepraat.
En gediscussieerd.
Er is ook veel over gelopen.
Niet alleen over de Wadden, maar ook over de conclusies
van de discussies.
Over de Wadden zijn veel zuchten geloosd.
En in de Wadden is veel vuil geloosd.
En de loze lieden met de loze leuzen gaan voort met lozen.
Zowel van zuchten als van vuil.
En beide vaak in dezelfde adem.
Zij storten vuil in de Rijn bij Nijmegen en geld in het Wereld
Natuurfonds.
En het vuil van Nijmegen stroomt via de Noordzee langs
de kust noordwaarts naar de Waddenzee.
En wat het dáár uitricht kan met al het geld van het Wereld
Natuurfonds niet meer ongedaan worden gemaakt.
Maar daarover gaat dit boek niet in de eerste plaats.
Het is niet bedoeld als de zoveelste „waarschuwing".
Het wil vooral de Wadden laten ZIEN.
Zoals ze – nu nog – zijn.
En zoals we hopen, dat ze zullen blijven.
En zo niet, dan kan het misschien dienen om in de toekomst
te laten zien, hoe de Wadden WAREN.
Een monument voor een gevallen monument.
Daarom is dit boek in de eerste plaats een platenboek.
Bekijk het.
Bekijk de platen van de zee en de platen van de platen.
Van de vogels in de wind en de zon in het riet.
Van de structuren van de zandplaten, die doen denken
aan een fossiele afdruk van het spel der golven.
Zie de mensen.
Zie de wadlopers.
En zie de rode lopers, die overal worden uitgelegd ter
verwelkoming van de industrie, die de wadlopers zal vervangen . . .
En besef dan, dat de mens, die dit allemaal kan vernietigen
of behouden, de Kroon der Schepping is.
De doornenkroon . . .

Voor wie zich voor namen interesseert:
Dit is Klein Hoefblad.
Geen Zilte Rus, Lamsoor, Zeekraal, Moeraswespenorchis of Sturmia.
Geen Fraai Duizendguldenkruid, Gewone Zoutmelde of Gerande Schijnspurrie.
Of hoe al die 1109 soorten hogere planten, die in het Waddengebied voorkomen, ook mogen heten.
Klein Hoefblad.
Tussilago.
Van het Latijnse ,,tussis" (hoest) en ,,agere" (verdrijven).
Want een aftreksel van de hoofdjes hielp vroeger tegen hoest en keelaandoeningen.
Misschien helpt het ook vandaag nog.
Als er tenminste geen chemische industrie in de buurt is.
Tegen de hoest, die daar het gevolg van is,
is geen kruid gewassen.

Rondjes . . .
Vliegen . . .
Rondjes vliegen . . .
Meeuwen zie je overal.
Ze zoeken ons op in de stad.
Ze vliegen rondjes rondom onze flatbalkons, in de hoop,
dat wij ze op een rondje tracteren.
Voor de meeuwen valt er altijd wel iets af.
Maar op de Wadden zijn ze in hun werkelijke element.
En daar zoeken WIJ ze op.
Met ons afval.

Gewoon een Paardebloem.
Want het gewone is geen kleiner wonder, dan het zeldzame.
De Paardebloem kende de parachute al,
voordat de mens vuur kon maken.
Met zijn parachute veroverde hij al verre eilanden,
voordat de mens schepen bouwde.
Laat staan aan para-troepen dacht . . .
De Paardebloem (Taraxacum) is apogaam, zegt de encyclopedie.
Dat betekent, dat het grootste deel van het kiemachtige zaad wordt gevormd zonder voorafgaande bevruchting, waardoor de dochterplanten genetisch identiek zijn met de moederplant.
Ziedaar het wonder in de vertaling van de Homo Sapiens.
En wie met één krachtige blaas alle zaadjes weg kan blazen, mag een wens doen.
Maar alleen als hij zich méér Paardebloemen wenst,
zal die wens in vervulling gaan . . .

Een wulp.
En een stulp.
De wulpen waren nog niet bedreigd.
En toen het huisje werd gebouwd – 1779 – moest de Franse Revolutie nog komen.
Evenals de Vierde Engelse Oorlog.
En alle volgende oorlogen.
En alle volgende revoluties.
Waaronder de „industriële".
Maar alles is betrekkelijk.
Voor de eerste bewoner van dit huisje,
dat ons nu zo'n weldadige rust suggereert,

was het misschien een onrustige tijd.
Het volgend jaar zou de oorlog met Engeland brengen
Was hij zich daar toen van bewust?
Zoals wij ons doorlopend bewust zijn van niet-aflatende oorlogsdreiging?
Wist hij iets van een bewapeningswedloop?
Wist hij iets van het Bondgenootschap met Frankrijk, dat ons tot de oorlog met Engeland zou nopen?
Misschien niet.
Die T.V.-antenne stond nog niet op zijn dak om hem dagelijks te vertellen, wat er weer ergens werd uitgebroed.
Hij zag misschien alleen de wulpen broeden.

Licht en tegenlicht in de kwelder.
Waar het bijna-land land geworden is.
„In het Waddengebied heerst nog de Tweede Dag
van de Schepping", heeft Van der Goes van Naters eens
gezegd.
Het licht is er al.
En het verschil van dag en nacht.
Maar het droge is nog maar nauwelijks van de wateren
gescheiden.
Voor een deel zelfs maar tijdelijk.
Men zegt wel eens, dat het Scheppingsverhaal
niet meer van „deze tijd" is.
Dat is in zoverre waar, dat het besef doorbreekt,
dat de Schepping niet „gebeurd" is.
Want hij gebeurt nog dagelijks.
En de scheppingsdagen overlappen elkaar.
En vallen samen.
In die zin zijn er geen dagen.
En is er geen tijd.
Alleen eeuwigheid.
En alleen de Mens is helaas in staat die eeuwigheid eindig
te maken.
Door zijn ingrijpen.
En dát maakt een verschil van dag en nacht . . .

Ook een normaal beeld.
Een wandelaar.
Een tippelaar.
Genietend van de vrije natuur.
,,Van al wat leeft en bloeit en ons altijd weer boeit".
,,Weer of géén weer."
Het zijn vertrouwde kreten.
En vertrouwde verschijningen.
En wie van ons niet meer zo is,
zou eigenlijk graag nog zo willen zijn.
Minder blij als hij reed . . .

Tóch ligt er achter onze wandelaar,
op de achtergrond van Rob de Wind's foto,
Een plastic emmertje . . .
Wat is nou één plastic emmertje?
Wie daarop kijkt is een kniesoor.
Tenzij
hij zich zorgen maakt over de vraag,
of de plastic emmertjes op den duur niet
de wandelaar naar de achtergrond zullen dringen . . .

AMELAND
AMELAND

Natuurlijk heeft de mens altijd al zijn sporen
nagelaten in het Waddengebied.
Plinius maakt al melding van de Klein en Groot Chauken.
Hij noemde hen een „armzalig" volk, dat hoge heuvels
of door hen met eigen handen opgeworpen hoogten
bewoonde.
Omdat – in zijn woorden – „de Oceaan zich met
twee tussenpozen des daags en 's nachts over een
onmetelijk stuk land uitstort."
Daardoor geleken de Chauken in zijn ogen
„op zeevarenden als het water de omgeving bedekt
en op schipbreukelingen als de wateren teruggeweken zijn."
Nú weten wij, dat die waterverplaatsing tweemaal
per etmaal 3.700.000.000 kubieke meter bedraagt.
Plinius moet zijn ogen uitgekeken hebben . . .
Na de Chauken kwamen anderen.
En anderen na hen.
Wij.
Maar het Waddengebied bleef al die eeuwen gelijk.
Als in Plinius tijd.
De mensen werden echte zeevarenden.
En er vielen echte schipbreukelingen te redden.
En er werd gevist.
Want ook de mens heeft zijn plaats in de voedselketen.
Maar de mens ving (en vangt) niet meer dan tweemaal
de hoeveelheid garnalen bijvoorbeeld,
dan alleen al door de scharren verorberd wordt.
In de Natuur is zelfs dát nog kleinschalig.
Want het aantal garnalen per seizoen is voor de
Waddenzee op 12 miljard getaxeerd.
En zo wissen tijd en getij de sporen van kleinschalige
menselijke aktiviteiten wel weer uit.
De voetstappen van de mensen en van de paarden.
De wielsporen wellicht niet . . .

Gelukkig krijgt het milieu steeds meer
onze voortdurende aandacht.
Zo zijn er gelukkig al velen,
die in het bewustzijn,
dat wij ook zuiniger met water dienen om te springen,
overgaan tot het gebruik van nieuwe,
waterbesparende toiletten.
En een gekleurde bril.

„Hou'en zo!"
Herinnert U zich die schitterende film nog?
Kort na de Bevrijding?
Al die bouwende, sjouwende, heiende kérels
van Jan Stavast?
Al die kranen?
Al die omhooggeheven duimen?
Nederland bouwde weer op!
Cheerio, Cheerio, in Holland daar doen we dat zó!
En Neerland spreekt een woordje mee!
We bouwden aan onze hernieuwde welvaart.
En het lukte.
En we riepen: „Hou'en zo!"

En de welvaart groeide.
Zichtbaar.
Zéér zichtbaar.
Want de welvaart vernielde het landschap haast nog erger,
dan de oorlog de steden had vernield.
Want in die eerste jaren was het woord „Welzijn"
alleen bekend uit de zegswijze: „Bij leven en welzijn".
En van de „Welzijnszorg" van het Leger.
En dat betekende film, cabaret en cursussen.
Maar nu begint het Welzijn ons zorg te baren.
En beginnen wij te begrijpen, dat er terwille daarvan
soms een keus gemaakt moet worden tussen
„Hou'en zó" of „Hou'en zó" . . .

Vrij zijn als een vogel . . .
Gaan, waarheen de wind je waait . . .
Het zijn gevleugelde woorden . . .

Vrij als een vogel in de lucht . . .
Vogelvrij . . .

Vogelvlucht . . .
Ook de mens heeft leren vliegen.
En vanuit de lucht kijkt hij neer op het Waddengebied.
Maar hij ziet niet, dat daar – onder hem –
onder het slib op iedere vierkante meter
700 tot 9000 wadslakjes leven.
Om maar eens iets te noemen.
Net zo min als hij,
vanuit de sateliet naar de aarde kijkend,
nog mensen kan waarnemen.
Maar ze zijn er wel.
Niet iets om op neer te kijken . . .

Er valt heel wat te zien . . .
Voor wie wil kijken.
Ook op de grond.
Waar kijken deze mensen naar?
Waar wachten zij op?
Op het voorbijvaren van een garnalenvisser?
Van een plezierjacht?
Op de duizenden rotganzen en brandganzen?
Op de tienduizenden bergeenden en eidereenden?
Die komen naar het Wad om te broeden.
Opdat er ook in de toekomst vogels zullen zijn.
Wachten zij op de toekomst?
Turen zij naar het naderende nieuwe Europa?
Het begint zijn eerste vruchten al af te werpen.
Zo wordt het Nederlands-Duitse Eems-Dollardgebied
nu als één Europees gebied beschouwd.
Niet alleen als natuurbeschermingsgebied.
Ook als industriegebied.
De nauwkeurige grens tussen de beide landen
lag daar nooit helemaal precies vast.
Daardoor was er nog wel eens onenigheid.
Over wie nou precies wát met zijn industrie mocht vervuilen.
En de pot verweet de ketel.
Dat is nu dus niet meer zo'n groot probleem.
Het wordt nu één pot nat.
Vies, stinkend nat.

Ja, er is veel te zien.
Veel, dat uniek is.
En dat bedreigd wordt.
Steeds meer mensen beseffen dat.
Gelukkig.
En steeds meer mensen voelen de behoefte
er een blik op te werpen, vóór het te laat is
misschien . . .
En hier waagt hun blik de oversteek.

Niet altijd is olie afkomstig van een ramp.
Soms wordt er zó maar wat overboord gezet.
Ook het geweten . . .
Deze vogel heeft het geweten.
Het is een zeekoet en hij zal niet meer vliegen.
Alleen de schuldige is gevlogen.
De dader vaart op het kerkhof . . .

DE FALANX VAN DE FAALANGST . . .

Er zijn menselijke waarden, die verdedigd moeten worden.
Hogere waarden.
Geestelijke waarden.
Verdedigd tegen een vijand die het materialisme predikt.
En omdat wij vrezen bij die verdediging te zullen falen,
wapenen wij ons.
Be-wapenen wij ons.
Materieel.

Maar het grond-doel blijft de verdediging
van onze geestelijke vrijheid.
En daarvoor moet onze luchtmacht oefenen.
Op gronddoelen.
En die staan ons in het Waddengebied
duidelijk voor ogen . . .

OOK een Waddeneiland . . .
Een Wadden-booreiland.
Wat een booreiland!
Machtig, imposant en een wonder van techniek.
Dat stáát daar toch maar zo.
Rustig temidden van de woelige baren.
En trotseert de oerkrachten van de natuur.
De stormen mogen het beuken, de golven mogen huizenhoog gaan, het booreiland houdt stand.
Meestal tenminste.
Let eens op die middelste poot.
Komt de naam U bekend voor?
AMO 2.
Latinisten zullen misschien denken: AMO, AMAS, AMAT . . .
Ik bemin, jij bemint, hij bemint . . .
Anderen zullen misschien denken:
AMO, AMOCO, AMOCO CADIZ . . .
En de laatsten hebben gelijk.

Gelukkig is de mens niet afhankelijk van al dan niet door olie vervuilde stranden, als hij wil zwemmen.
Landinwaarts, een eindje van het kunstmatige eiland verwijderd, bouwt hij zijn kunstmatige zwembad.
Dat kun je nog verwarmen ook.
Bijvoorbeeld met de olie van de booreilanden en de niet-gezonken tankers.
Want lang niet alle tankers zinken.
Lang niet alle booreilanden veroorzaken „spuiters".
Dat zijn zelfs gróte uitzonderingen.
Maar het vervelende van uitzonderingen is, dat ze zo vaak regels bevestigen.
En dat ze zo groot zijn.
Rampzalig groot . . .

„Ja, nee, kijk . . .
Laten wij nou even wél wezen.
Natúúrlijk moet je bepaalde natuurgebieden beschermen.
Da's logisch, hè?
Anders stierven bepaalde planten
en dieren misschien uit, niet?
En dan zouden we die bepaalde planten en dieren
nooit meer ergens kunnen zien, niet?
En dat zou natuurlijk een verarming zijn.
Dat zou een verarming zijn voor ons mensen!
Dat begrijpen we best.
Dan zouden onze kinderen opgroeien tot mensen,
die misschien nog nooit een wulp of een blauwe kiekendief
gezien hadden, niet?
Wat zegt U?
Met rust laten?
Niet opjagen?
Niet naar een nest zoeken?
Ja, nee, kijk . . .
Laten we nou even wèl wezen!
Als we d'r nou niet eens meer naar mogen gaan kijken . . .
Waar IS die natuurbescherming dan voor?"

TIED VLIEDT...
Zelfs, waar de tijd lijkt te hebben stilgestaan.
Op de foto staat de wijzer van de kerkklok stil.
Even roerloos stil als de zonnewijzer.
Tien minuten voor elf...
Maar intussen is het voor het Waddengebied al lang
vijf voor twaalf geworden...

Je ontkomt natuurlijk nooit aan het stellen van prioriteiten.
Want niet alleen het milieu heeft onze voortdurende aandacht.
Ook de stijgende behoefte aan energie.
Aan recreatiegebieden.
Aan werkgelegenheid.
Werkgelegenheid moeten we scheppen.
Met zo'n kolossale schep, bijvoorbeeld.
Die schept de ene prioriteit met grote happen op uit de groeve van de andere prioriteit.
Hapt zo héérlijk weg!

Een stukje wadbodem.
Zand.
Slib.
Maar daaronder, voor ons oog verborgen:
Vijftig miljard kokkels.
Iets dieper:
25 miljard nonnetjes.
Nog dieper:
Zo'n tien soorten wormen.
Enige duizenden miljarden.
Ze voeden zich met plantaardig en dierlijk plankton.
En ze worden gegeten door de vissen.
En door de vogels.
En de zeehonden leven van de vissen.
Net als de mensen.
Wij eten óók vis.
En mosselen.
En alikruiken.
En garnalen.
Want de mens leeft niet bij brood alleen.
Hij leeft óók – indirect – bij slib.

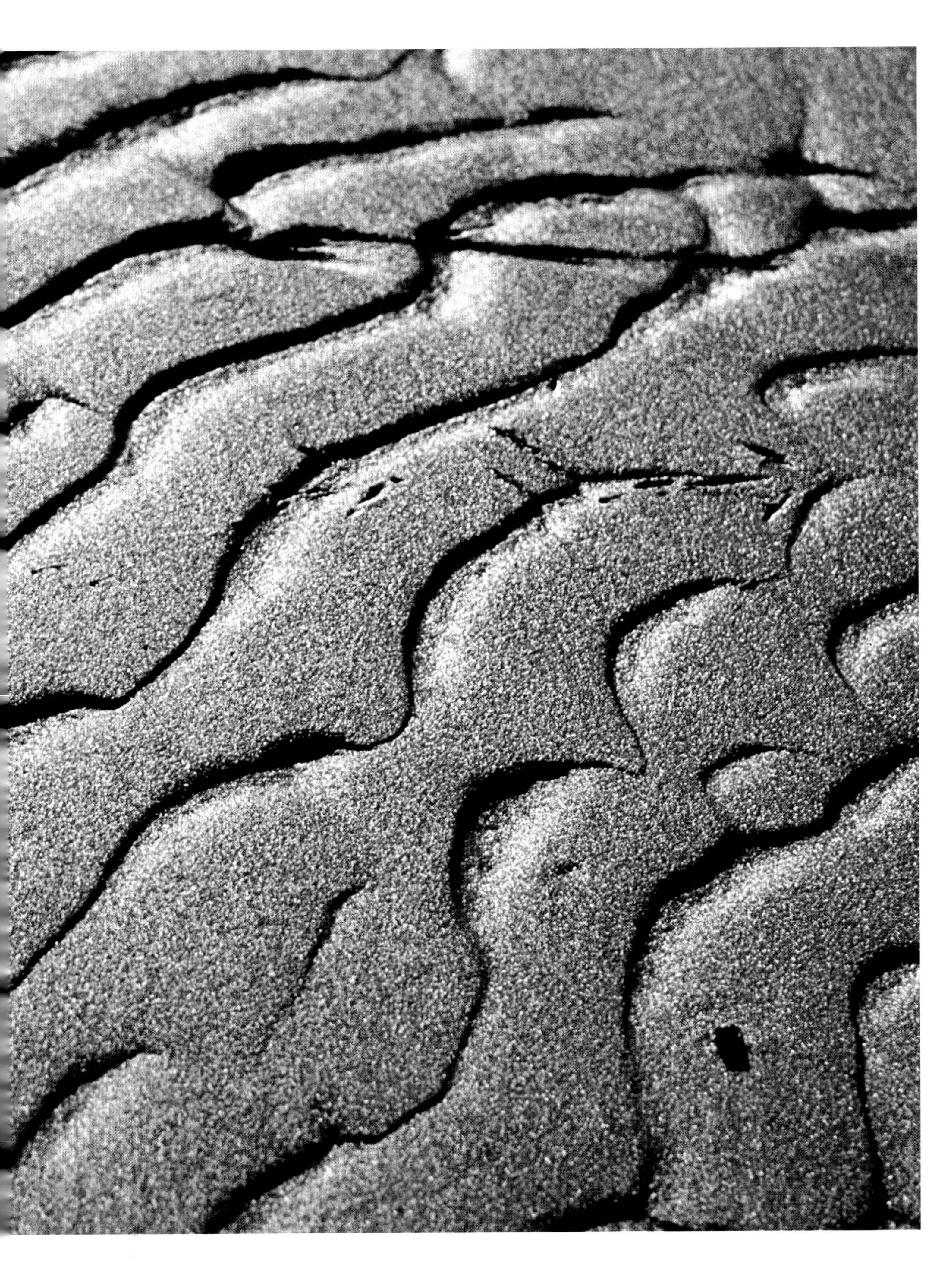

MARTEN.
Een klein, stil huisje.
Zoveel rust . . .
Zoveel stilte . . .
Wie zou niet graag zo'n huisje willen?
„Desnoods als tweede woning", denken wij in vervoering.
Maar dan zit je natuurlijk wél met je vervoer . . .

Kleine huisjes in een park . . .
Het wagenpark.
Zo noemen wij dat.
Wij spreken van het Nederlandse ,,Wagenpark".
Het wordt steeds groter.
En het Nederlandse Wagenpark parkeert.
Op de foto zijn nog een paar parkeerplaatsen onbezet.
Een stille dag blijkbaar . . .

Het mooie van het menselijk vernuft is,
dat het steeds nieuwe wegen zoekt.
Zo'n staaltje van vernuft is dit asfaltfabriekje.
Het zoekt zélf géén nieuwe wegen.
Het máákt ze.

Een „inwoners-equivalent" is:
"Een hoeveelheid afval en vuil,
gelijk aan die, welke één inwoner
in ons land gemiddeld voortbrengt."
Al zijn vuilniszakken en W.C.-bezoeken
van een heel jaar bij elkaar, zogezegd...
Hier, aan de monding van de bekende,
zogeheten „smeerpijp", stromen
1.000.000 „inwoners-equivalenten"
de Waddenzee in.
Maar die zijn niet door 1.000.000
inwoners afgescheiden.
Slechts door een aantal industrieën.

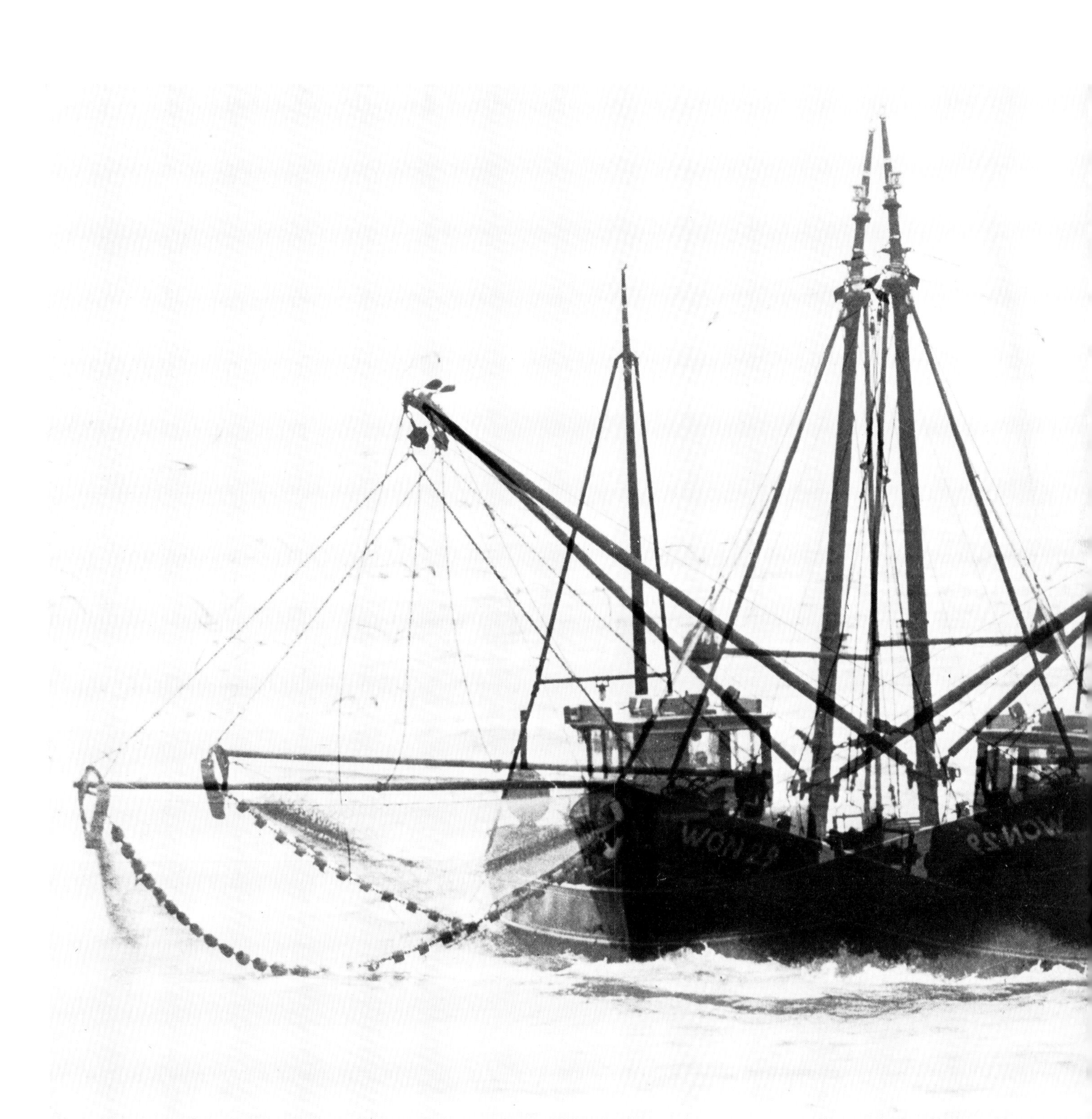
WON 29

Een éénmansbedrijfje.
Varen.
Garnalen vangen.
Koken . . . . . .
Afvalproduktie:
1 „inwoners-equivalent".

Twee bevoegden op weg
naar een natuurreservaat . . .
Hoewel . . . helemaal zeker is dat niet.
Het wíl wel eens lijken, of geen hond
zich iets van die borden aantrekt.

Op het eerste gezicht zou je denken: een luchtfoto.
Het is:
Een stukje grondprofiel, zoals dat ontstaat
door de ebstroom.
In een stormperiode.
Vlak voor de voeten van de fotograaf.

Niet alleen de mensen waaien mee
met de heersende wind.
Ook de zerken.

Zwanebloem.
Behoort tot de Butomacaeae.
Geslacht: Butomus.
Dit geslacht kent maar één soort:
De Butomus umbellatus,
De Zwanebloem.

Van de tanks bestaan meer soorten.
Dat biedt tenminste een keuzemogelijkheid . . .

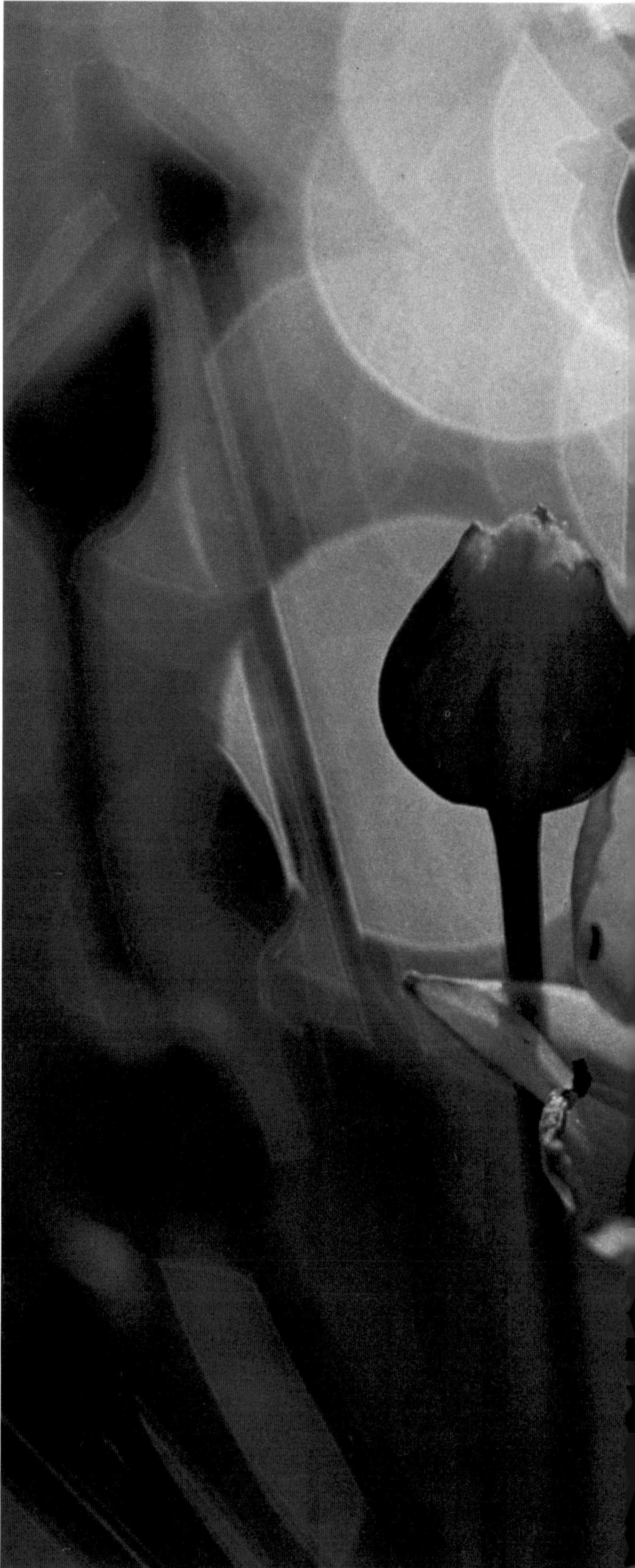

Een eenvoudig monument:
WIERUM
1 DECEMBER
1893.
17 SCHEPEN KOZEN ZEE.
SLECHTS 4 KEERDEN WEER.
22 VISSERS VONDEN HUN GRAF IN DE GOLVEN.
Een ramp...
Een natuurramp.
Wij mensen kunnen die niet bezweren.
Als de vogels van de Wadden door een
milieucatastrofe zouden omkomen,
zouden grote delen van Europa, tot en met
Siberië geteisterd kunnen worden door enorme
insektenplagen.
Wij kunnen natuurrampen niet bezweren.
Wij kunnen ze tegenwoordig wél veroorzaken.

UQ 1

De Blauwe Kiekendief is een
in Nederland zeldzame broedvogel.
Eén jaar na het maken van deze
foto vond Rob de Wind een nest
met dode jongen.
Rondom lagen filmverpakkingen.
Een natuurliefhebber had het
nest gefotografeerd.
Daardoor durfden de ouders niet
terug te keren en de jongen
kwamen om.
Ook een plaatje schieten kan
dodelijk zijn.
Rob de Wind maakt geen nestfoto's meer . . .
Een fotograaf ,,om in een lijstje te zetten".

*Werkgelegenheid voor het Noorden
des lands.
Die is broodnodig.
Daarvoor moeten alle bronnen
worden aangeboord.
De Eemshaven wordt plechtig geopend
door H.M. de Koningin.
Werkgelegenheid voor degenen,
die op de voorgrond
het Wilhelmus blazen.
Gelegenheid óók voor het werk
van de milieubeschermers, die
op de achtergrond dreigen te geraken
met hun
„Petrochemische industrie vergiftigt het Wad".*

Haast nergens vindt men tegenwoordig zoveel vuiltjes, als JUIST aan de lucht . . .

Olie op de golven . . .
Dat wast al het water van de zee niet af.

Recreatie vraagt om ruimte...

En naarmate de welvaart toeneemt,
neemt de recreatie ook meer ruimte
in beslag.
Want de plezier-jacht is geopend.

En de Lauwerszee-dijk is gesloten.

Zeilen op de Waddenzee
vereist kundig navigeren.
Men dient goed weg te weten met
bebakening, getijdestroomtabellen
en stroomatlas.
Er wordt van hogerhand nogal eens
geschipperd mét de Waddenzee.
Soms lijkt het of dat gemakkelijker gaat
dan schipperen óp de Waddenzee.
Van het eerste komt de zee in nood.
Van het tweede de bemanning.
Een schip in nood op een zee in nood.
Zeg dán maar eens:
,,Geen man over boord..."

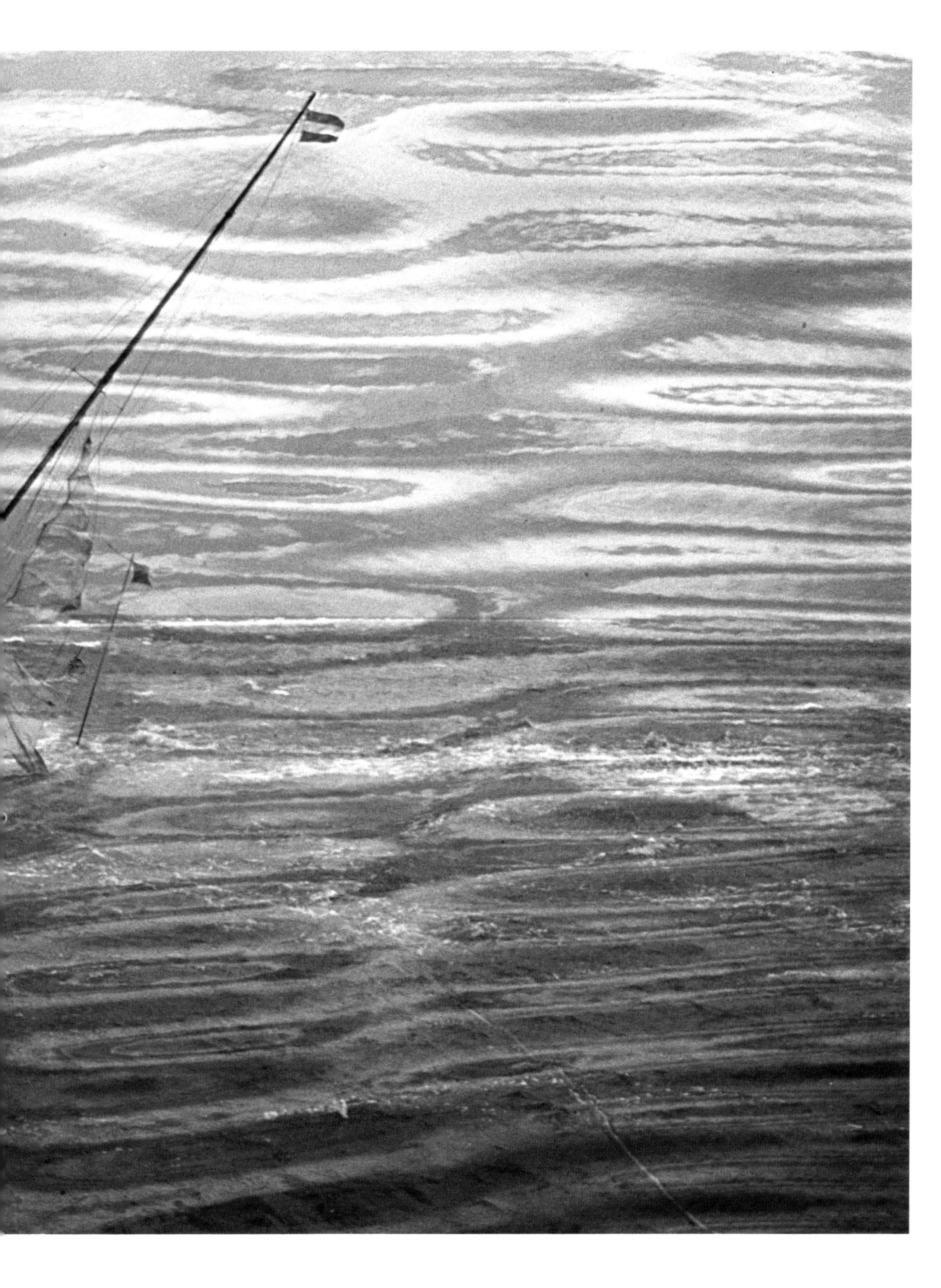

Aankomst van een groep wadlopers uit Pietersburen.
Zelfs zij, die in onze massale, geordende, gereglementeerde en geasfalteerde samenleving het eenzaam avontuur zo missen, zoeken het massaal op.

Wat daar vliegt zijn brandganzen.
Wat daar staat is de AKZO.
En zijn de recreatiehuisjes.
Wat daar ligt is een eidereend.
Door de olie is zijn dons niet meer
geschikt als kussenvulling.
Zonde.

Als kind al leren wij op school:
„Om de duinen voor verstuiving te behoeden,
(en dat is nodig voor het lagerliggende
achterland),
worden zij met helmgras beplant, waarvan
de wortels het zand vasthouden."

Recreatie.
Een auto in een duinpan.
Maar er leidt geen weg naartoe.
Zomaar door het landschap gereden.
Zo maak je er wél een pan van.
En het duin kalft af.
De begroeiing is er af-gelopen.
En dan is het met zo'n duin óók gauw afgelopen.
De dagjesmensen denken:
„Na ons de zondvloed."
Maar wie verder denkt dan één dag
weet, dat een flinke, gewone vloed in zo'n geval
al voldoende kan zijn.

De strandreddingsboot.

Gelukkig valt er nog veel te redden...

Eemshaven.
Een paar stukken economische groei.
We hebben een Rapport van Rome gehad.
En een tweede Rapport van Rome.
En een Rapport v.d. Commissie Mansholt.
Sindsdien is het begrip „economische groei"
op zijn minst problematisch.
Als we zo doorgingen zou de aarde over
dertig jaar uitgeput zijn.
Dan zouden we de pijp uitgaan.
Mèt onze economische groei.
Gelukkig heeft een Nederlandse doctor
berekend, dat het wel eens vijftig jaar
langer kon duren.
De ouderdom van de aarde wordt geschat op
3 à 4,5 miljard jaar.
Dan maakt vijftig jaar dus wél een verschil.

Smeerpijp Hoogkerk.

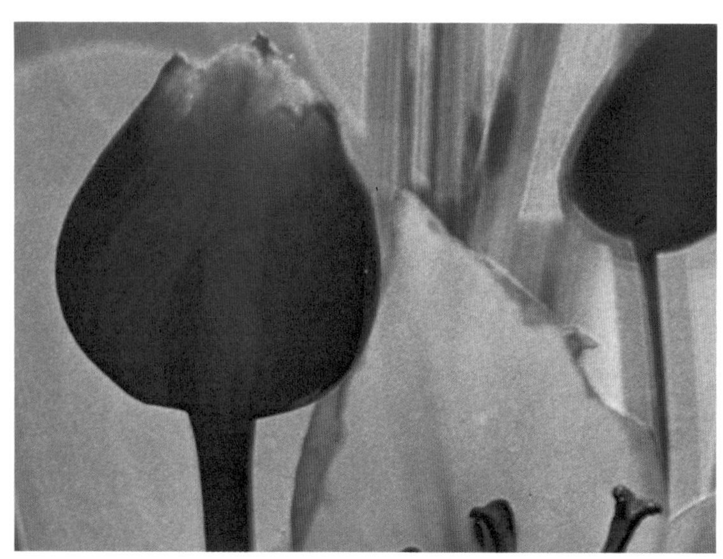

Een fotografisch grapje.
Al is het een bitter grapje.
Deze boortoren op Ameland staat
daar nog niet in werkelijkheid.
Hij is daar wél „gepland".
De fotograaf heeft hem er
alvast geplant.
Zo kun je zien, hoe het gaat worden.
En waar je aan begint.
De beide andere foto's zijn écht.
AKZO, Delfzijl.

Een Kruis in het landschap.
Het heeft niets te maken
met onze Godsdienst.
Hoewel...wèl met de Passie.
De Passie voor aardgas en olie.
Het is een afsluiter
van een exploratieboring
op Ameland.
Na exploratie komt exploitatie.
Het is een kruis.

HOVERWORK

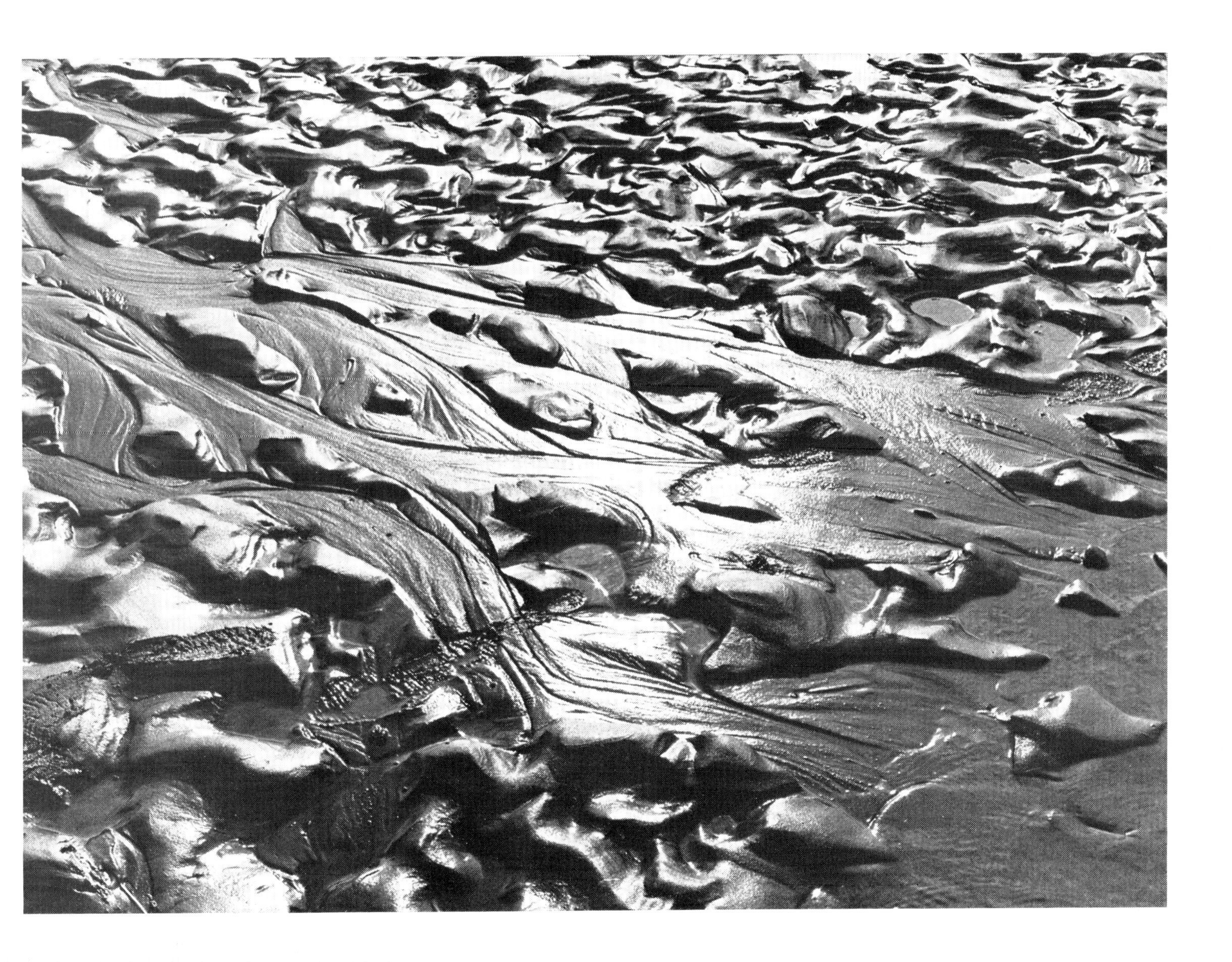

Linksboven: Het Vogeleiland Griend.
Het lijkt, of de vogels gevlogen zijn,
maar er is een zeer grote broedkolonie
van o.a. de Grote Stern.
Grote Sternen plegen hun nesten zeer
dicht bijeen te bouwen.
Waarschijnlijk om zich zo beter te kunnen
beschermen tegen rovende Zilver- en Kokmeeuwen, die het
op hun eieren en jongen
voorzien hebben.
De reden voor het dicht opeen nestelen
van de Heilige Koe (zie hiernaast),
is door dierpsychologen nog onvoldoende
onderzocht.

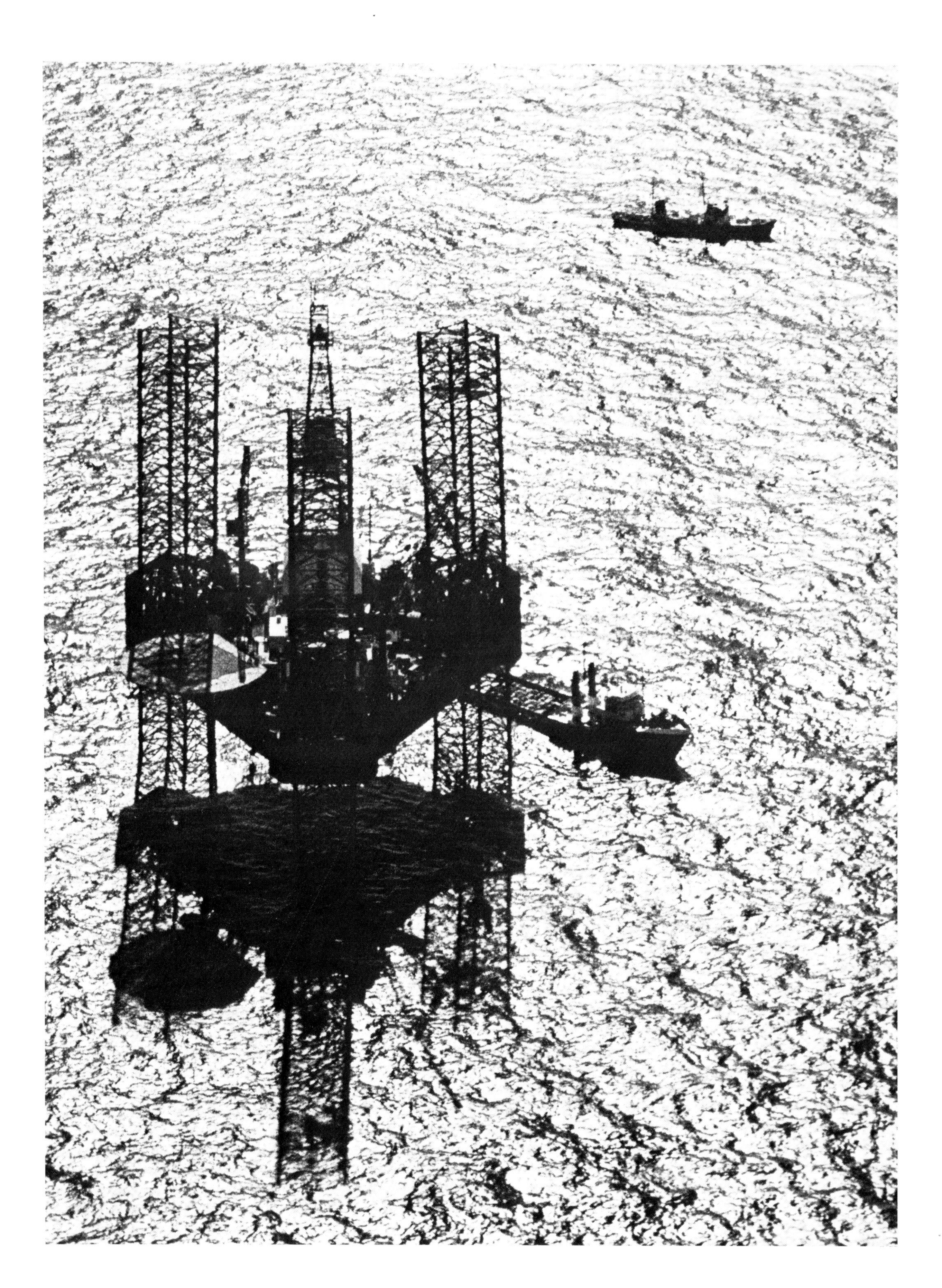

D-5817

Op brandganzen mag niet gejaagd worden.
Niettemin kunnen jagers hen nog zeer nerveus maken.

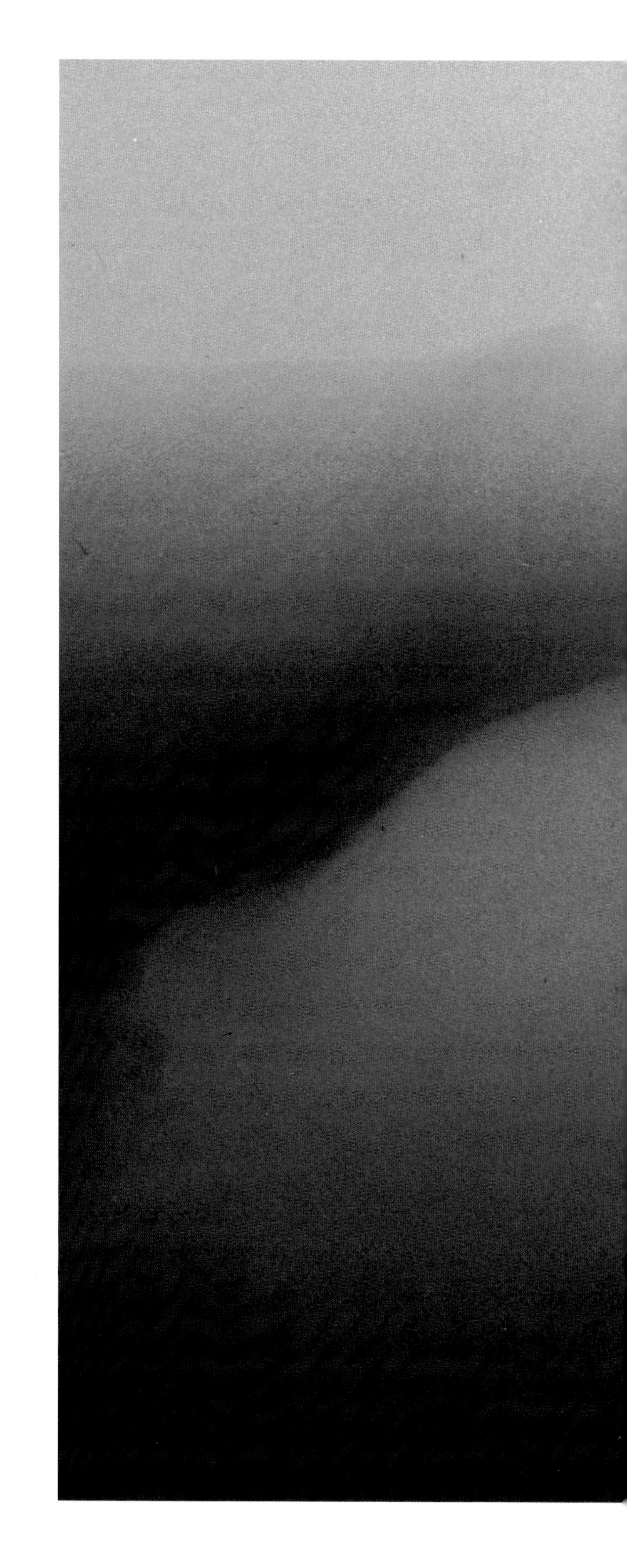

Een slenk.

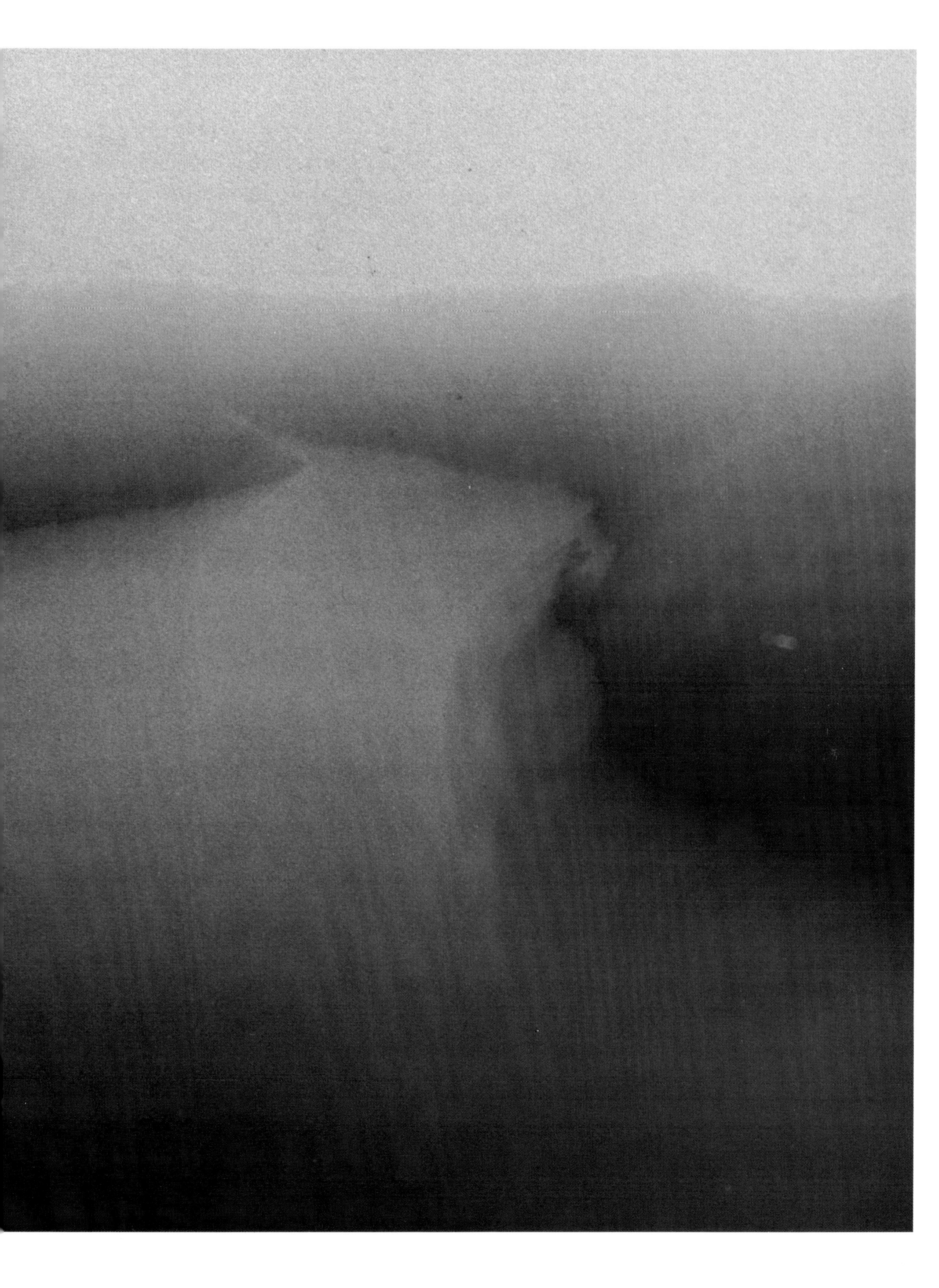

De Eemscentrale.
Opgewekt en vol energie
werken wij aan de opwekking van nieuwe energie.
Laten wij trouwens één ding niet vergeten:
Ongeveer 1500 jaar geleden
was héél Zeeland,
West Friesland,
de kop van Noord Holland,
de hele ,,Zuiderzee"
en een deel van Friesland
nog één groot Waddengebied.

*Niemand zal vandaag onze voorouders verwijten,
dat daaraan – mede door hun ingrijpen in de
natuur (inpoldering e.d.) – een einde is gekomen.
Evenmin als wij het hun kwalijk nemen, dat de
oeros, waarop zij nog jaagden, uitgestorven is.
Het is dus helemaal niet zo zeker, dat óns
nageslacht óns verwijten zal maken,
zoals zoveel aktiegroepen ons vandaag voorhouden.
Zelfs als er geen nageslacht meer is zal het
ons daarvan geen verwijt maken.*

1668.
Vondel leefde nog.
Rembrandt ook.
Dat was nog in het Eerste Stadhouderloze Tijdperk.
1668. Triple Alliantie.
Maakte bij de Vrede van Aken op 2 mei 1668
een einde aan de oorlog tegen Lodewijk XIV.
Dat was de z.g. Devolutie-oorlog.
Allemaal Geschiedenis.
Maar het decor staat er nog.
Zelfs een kanon.
Maar wie weet nog wat die „devolutie" was?
Wij kennen alleen de evolutie.
In een decor uit een science fiction serie.

22-RB

Asfalt – leerden wij op school –
wordt o.a. gewonnen bij de Dode Zee.
Het wordt – met zand en andere stoffen
vermengd – toegepast voor asfaltwegen.
Hier staat zo'n „asfalt"-fabriek
bij de Waddenzee.
De Waddenzee is geen Dode Zee.
Hij leeft nog.
En de garnalenvisser leeft er van.
Laat dat zo blijven.

Rotganzen.
Vliegen kost zeer veel energie.
Daarom moeten vogels veel rusten.
Daar hebben zij speciale rustgebieden voor.
En het is zeer nadelig voor de vogelstand
als zij te vaak worden opgejaagd.
Door oefenende legervliegtuigen b.v.
Of door té veel recreanten.
Door rotmensen, kortom.

Een sneeuwstorm boven de jachthaven aan de Oude Pier op Schiermonnikoog.

Klein Hoefblad.

Men mag dan zijn bedenkingen hebben
tegen al dat industriële geweld,
het valt niettemin niet te ontkennen,
dat dat alles zijn eigen,
onontkoombare schoonheid bezit.
En we moeten natuurlijk
aan de toekomst denken.
En we kunnen
en mogen
de vooruitgang niet tegenhouden.
Ook de natuur- en milieubeschermers niet.
Die hebben óók kinderen, voor zover zij het
niet zelf nog zijn.
En stilstand is achteruitgang.
Maar het inzicht,
dat niet álle vooruitgang ook
werkelijk vooruitgang is,
is óók vooruitgang.

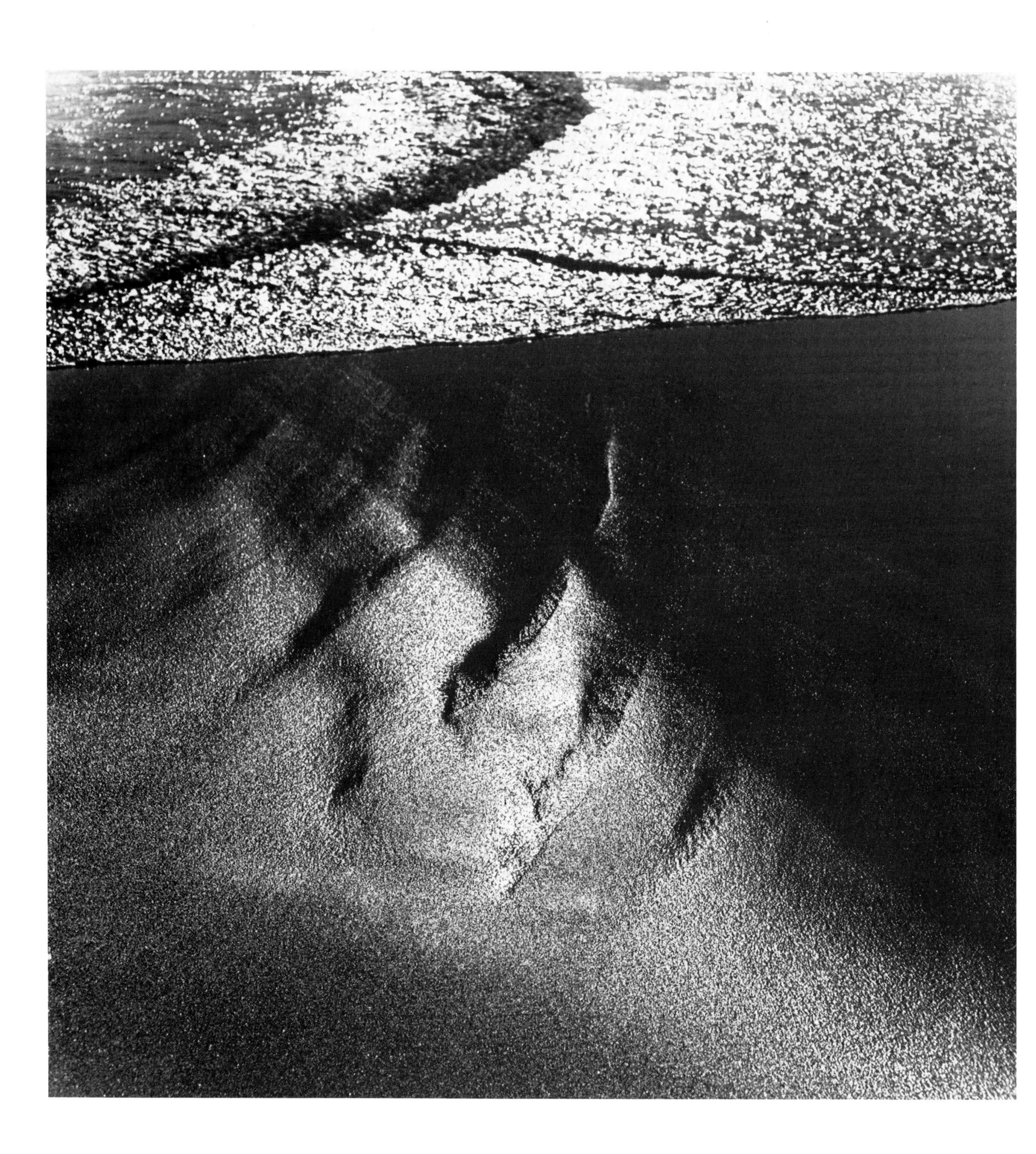

Kinderen...
Soms vraag je je wel eens af:
„Geef ik ze wel genoeg...?"
(de STER)

Genoeg wát?
Genoeg Wad?

SMIT-LLOYD

Achter de wolken schijnt de zon.
Soms schijnt hij er zelfs doorheen.
Helemaal onbedekt is hij zelden.
Dat is nu eenmaal het Nederlandse klimaat.
Het ondernemersklimaat...

58·17
GS
31·33
MP
38·98
EX

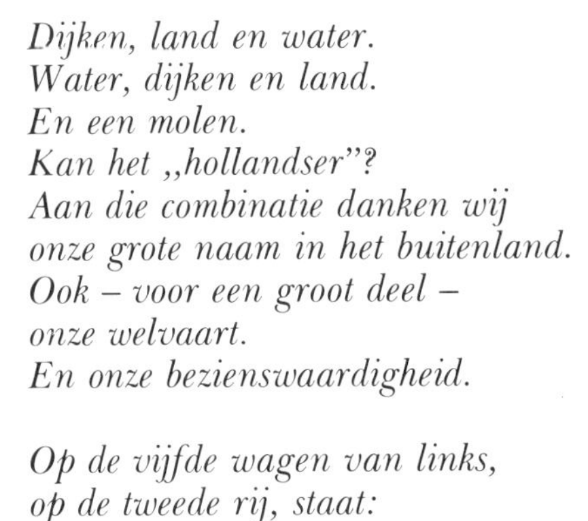

Dijken, land en water.
Water, dijken en land.
En een molen.
Kan het „hollandser"?
Aan die combinatie danken wij
onze grote naam in het buitenland.
Ook – voor een groot deel –
onze welvaart.
En onze bezienswaardigheid.

Op de vijfde wagen van links,
op de tweede rij, staat:
GVD...

Wat zouden wij in onze hedendaagse wereld
moeten beginnen zonder beton?
Of het nou voor een zwembad is met
koel, helder water,
of voor een koelwateraanzuiger voor de
Eemscentrale...
Beton is hard nodig.
Zó nodig, dat we in ons land in Zuid Limburg
een natuurgebied moeten afgraven,
om er in het Waddengebied een natuurgebied
mee te kunnen onder-graven.
Ook de vooruitgang blijkt een cirkelgang te zijn...
En zo blijven we op jacht naar onze eigen staart.

Maar geen enkele chemische industrie
heeft nog een verdelgingsmiddel uitgevonden,
waarmee wij een rupsbandenplaag kunnen bestrijden...

Hieronder loost de AKZO iets.
Ik weet niet precies wát.
Geen Chloor in elk geval.
Dát zit in de twee tanks.
Voldoende om de gehele bevolking van ons land
te vergassen, overigens.
Niet dat dat gebeuren zal.
„Als de hemel naar beneden valt,
hebben we allemaal een blauwe hoed", zei Oma.
In dit specifieke geval een gele, dus...

Hier, op Terschelling,
(Noordwaarder),
oefenen de Luchtmachten van de Nato.
Iedereen begrijpt, dat je niet overal
kunt oefenen.
Maar dat je wel ergens moet oefenen.
De Nato moet ons tenslotte – zo nodig –
kunnen beschermen.
Onverhoopt.
In die zin is heel Nederland een
„Beschermd Gebied".
En is Nederland – ook politiek – een
„Leefmilieu".
Voor Nederlanders.
Alle Nederlanders.
En daarom zullen ecologie, economie,
polemologie en alle andere – logieën
elkaar blijven raken.
En soms raken zij elkaar gevoelig.

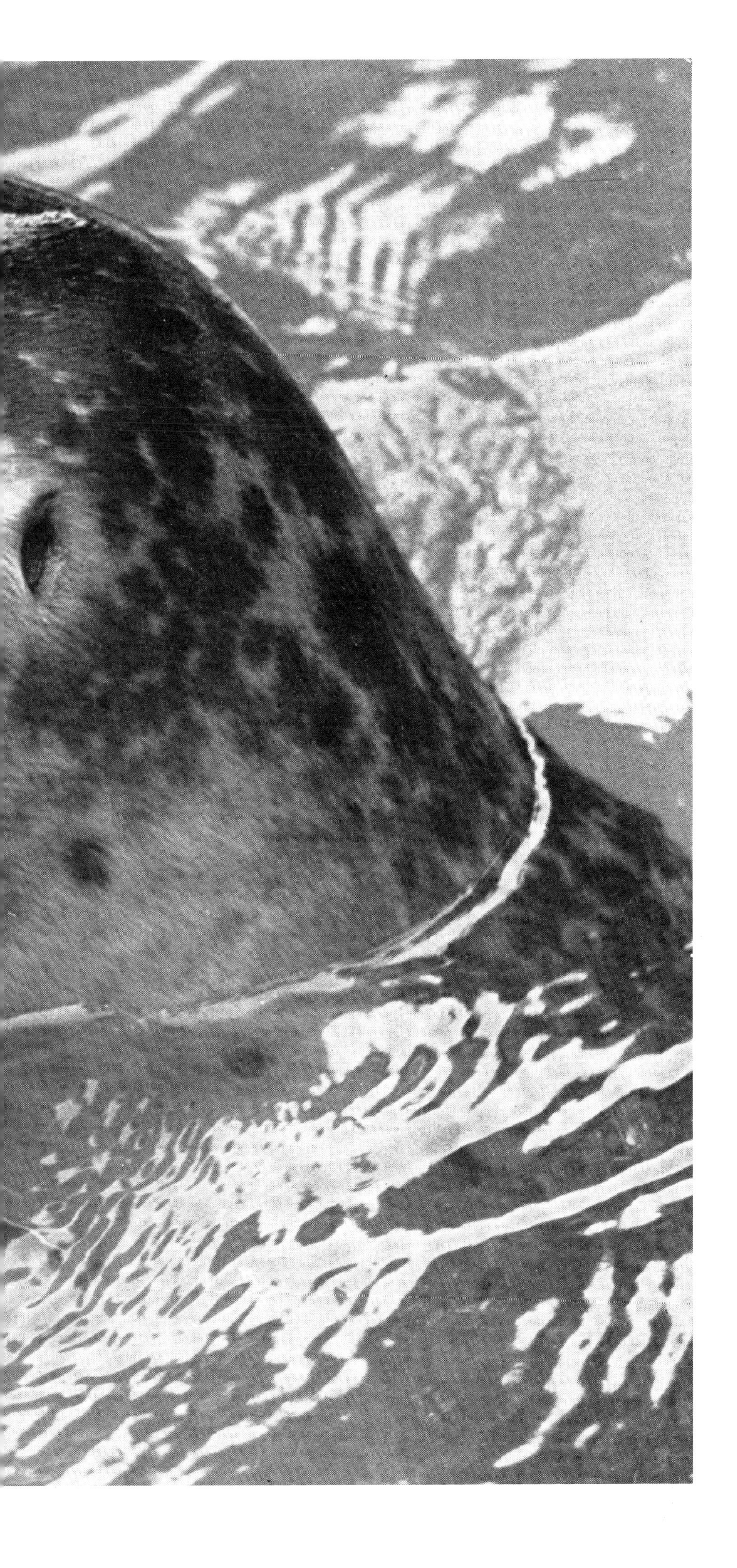

Het aantal zeehonden in het Nederlandse Waddengebied bedroeg in

1968	*1480*
1969	*1200*
1970	*900*
1971	*700*
1972	*600*
1973	*500*
1974	*500*
1975	*430*
1976	*340*

We leven intussen alweer wat later ...

HET
EINDE
!

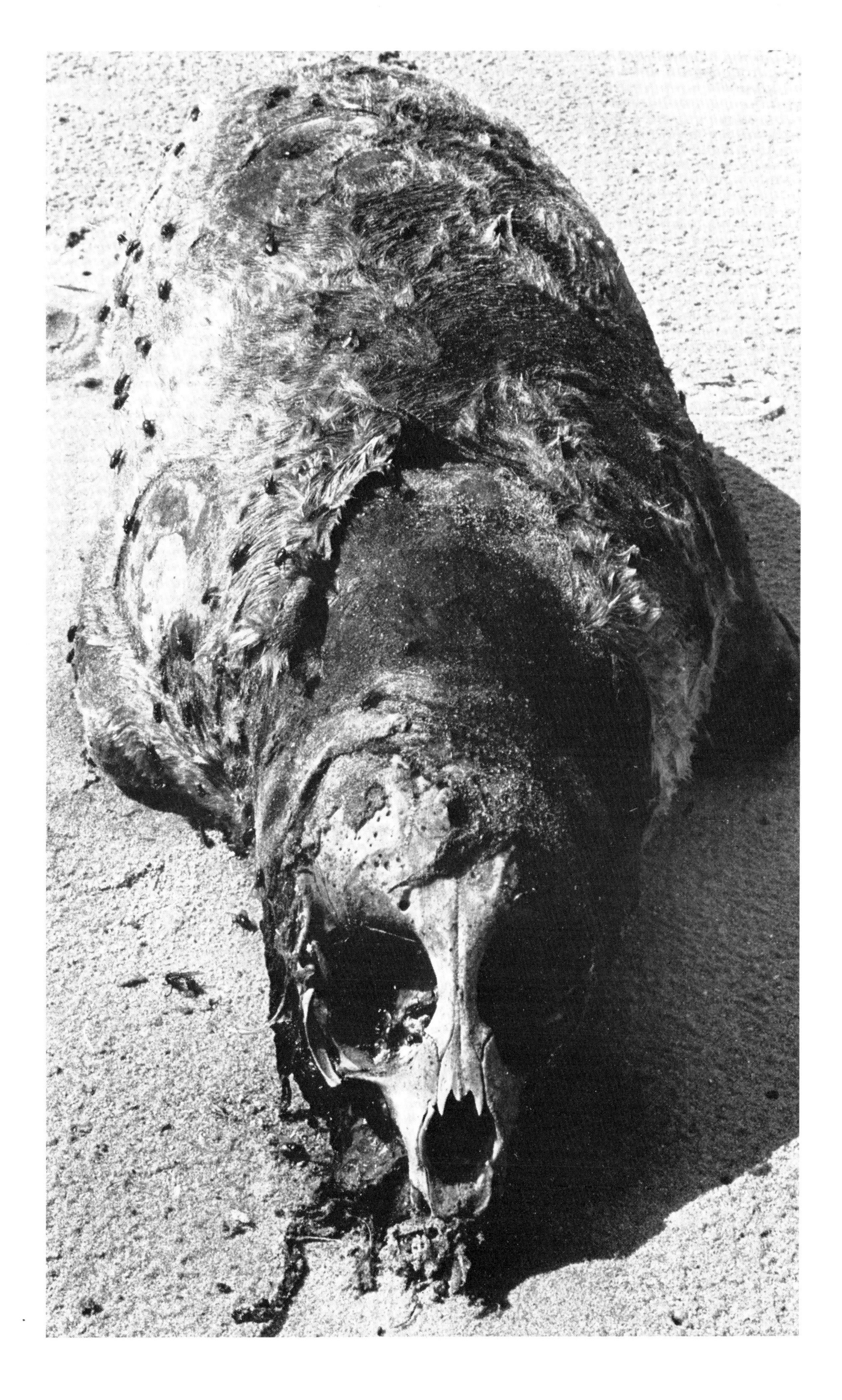

ISBN: 90 6248 101 9

Vormgeving: H. Körner
Papier: 135 gr. houtvrij halfmat m.c.
Kleurenlitho's: Van der Poort fotolitho inrichting b.v., Pijnacker
Zwartlitho's: Clichéfabriek Chemez, Haarlem
Drukker: Samsom Sythoff, Alphen a/d Rijn
Binder: Boekbinderij v.h. P. Abbringh, Groningen
Produktie: Studio de Zuid, Den Haag
Opnamen: Leica en Hasselblad
Opnamemateriaal: Kodachrome/Kodak Tri

Eerste druk september 1978.
Tweede druk oktober 1978.